KB197925

당신은 누구시길래

당신은 누구시길래

김문구 시집

모아드림

■머리말

이 책을 내게 된 것은 나의 심정을 수년 동안 습관적으로 글로 표현하였던 것이 동기가 되었습니다. 그러나 단 한 번도 책을 내려고 다짐하고 글을 쓴 것은 아닙니다. 내가 글을 쓰고 나면 스트레스도 해소되고 내가 나를 달래는 나 혼자만의 언어 수단이 되었기 때문이었지요.

저의 시는 사회성이 있다기보다는 철학성이 일부 가미되어 있어 독자들이 얼른 이해하는 데 불편한 부분도 있을 것입니다.

그리고 이 시집은 순수한 동심과 정서가 담겨 있거나 서정적인 감정으로 사람의 마음을 촉촉이 적셔 주는 데는 부족합니다.

그런데 미천한 사람이 책을 펴게 된 것은 작년 우연한 기회에 모대학 교수인 친구가 내 노트북 컴퓨터에 많은 시와 기행문, 그리고 수필이 들어 있는 것을 보고는 '언젠가는 몽땅 없어져 버릴 수도 있으니 책으로 묶어 두라.' 고 권했었지요.

그때는 내가 당치않다고 거절했었습니다. 이유는 내가 전문적으로 글을 쓰는 사람도 아닌데 무슨 책을 내느냐는 생각이 들었던 게지요.

영혼이 있는 한 글을 쓰면서 몸소 위안이나 받고 싶었었는데…….

이번에 갑자기 엮은 시집은 내가 좋아하는 시편들만을 몇 개 추려서 감히 엮어 보았습니다.

2008년 4월

김문구

■ 차례

제1부
허무함

제2부
자연과 추억

제3부

청합니다

제4부
사랑을 전합니다

제5부
잠언

해설

■서시序詩

내게는 두 갈래의 길이 있었습니다.
거기에는 넓은 길과 좁은 길이 있었습니다.
넓은 길은 순탄하여 찾는 이들이 많지만
나는 그 길을 택하지 아니하고
협소하여 찾는 이들이 없는
아주 비좁은 길을 택하였습니다.

난 두 길을 다 가지 못하는 것을
아쉽게 생각하지 아니하고
훗날 훗날에
내가 넓은 길을 다시 돌아볼 것을 의심하면서
미련 없이 그 길을 택하였습니다.

난 그 길에서
나의 옛 인간성을 벗어버리고
새 인간성을 입기로 하였습니다.
그리고
언젠가 나는
사람들 앞에서 분명히 이야기할 것입니다.
좁은 길을 택하여 모든 것이 달라졌다고…….

제1부

허무함

당신이 누구이기에

그토록 불러 보는
당신의 이름

이젠 이 땅에 어둠이 오고
저 은하계銀河系에
뭇별들이 반짝이면
그것은 당신의 하루가 아닌가요?

검푸른 하늘
저 아름다운 태양 아래서
처절하리만큼 기다리던
당신의 말씀은
그냥
새로운 하루로 이어지고 말았습니다.

참을성이 부족하고
기력이 쇠하여 초조해져 가는
당신의 벗은
또 다시
새로운 소망만을 키울 뿐입니다.

외로움

아!
날은 저문데
가슴에 젖어 드는
괴로움
외로움

어떻게 사는 것이
어떻게 내 인생을 소비해야
진정
그 점 부끄러움이 없을 것인가!

신분은 없어지고
마음마저 떠났으니

아!
사랑할 건 자연뿐이고
믿을 건
오직
내 자신뿐이어라

한 줌의 재를 바람에 날리듯
그렇게 잊어버려라

돈

돈은
언제나 교환 매개물媒介物이다.

그래서
돈으로 사람을 살 수는 있지만
돈으로 사람의 고정관념固定觀念을 사지는 못한다.

돈으로 지혜智慧를 살 수는 있지만
돈으로 사고력思考力을 사지는 못한다.

돈으로 음식을 살 수는 있지만
돈으로 식욕까지는 사지를 못한다.

다만
돈은 인간에게 다소 편리할 뿐이다.

사랑의 진실

빵은 누가 그걸 굽기 전에는
그것은 밀가루 반죽일 뿐
그것은 빵이 아니다

詩는 누가 그걸 발표하기 전에는
그것은 글귀일 뿐
그것은 詩가 아니다.

노래는 누가 그걸 부르기 전에는
그것은 가사歌詞일 뿐
그것은 노래가 아니다.

사랑은
누가 그걸 실천實踐하기 전에는
그것은 위선僞善일 뿐
그것은 사랑이 아니다.

내 어깨의 짐

내 어깨에 짐이 없었다면
나는 일을 하는 대신 즐기느라
어깨에 짐의 무게를 느끼지 못하여
가정의 소중함도 모르고 살았을 것입니다.

내 어깨에 짐이 없었다면
나는 아직도 미숙하게 살면서
현 세상의 불공정을 올바로 보지 못하고
고통이 무엇인지 모르고 살았을 것입니다.

내 어깨에 짐이 없었다면
나는 삶이 얼마나 힘겨운 것인지 모르므로
부드러운 동정심을 나타내지도 못하고
사랑이 무엇인지 모르고 살았을 것입니다.

양 어깨의 짐 때문에
나는 늘 조심하면서 성실히 살 수 있었고
더러는 남의 고통도 느끼면서
소박한 꿈과 사랑을 키워 나갈 수 있었습니다.

그리고
내 어깨를 짓누르는 짐은
바로 나를
진리로 이끄는 귀중한 선물이었습니다.

초심初心

처음 지녔던 감정이
퇴색되지 않게 하소서

처음 가졌던 믿음을
식지 않게 하소서

그리고
신분이 달라졌을 때에도
환경이 달라졌을 때에도
초심을 버리지 않게 하시고

모든 것을 처음처럼
사랑하게 하소서

구월의 마지막 날

구월의 마지막 날은
내 가슴이
까맣게 숯덩이가 되었던
바로 그날이다.

난 다시
그날을
기억하지 않기로 다짐했지만
그렇게 되지 않는
까닭은 무엇인지?

그러면서
내 뺨을
화끈거리게 하는 것은
무슨 까닭인지?

그리고
그 무언가가
내 정신을
성가시게 하는 것은 무엇인지?

내게
얼마만큼 긴 세월이 지나야
오뉴월에 눈 녹듯 사라질 것인지?

사뭇
미심쩍음이 그치지 않으니
아무라도 붙잡고 그 방법을 묻고 싶다.

구월의 마지막 날이 오면
난 차라리
가시밭에 한 떨기 민들레처럼
지성 있는 창조물이 아닌
식물植物이고 싶다.

언제나
이맘때만 되면
산과 들
어디론가 아주 멀리 떠나가
조용한 카페에서 홀로 앉아
대중가요라도 듣고 싶다.

구월의 마지막 날이 오면
나는
쓴 블랙커피를 입안에 문 채로
긴 편지를 쓰고 싶다.
그러면 모든 것이 잊혀질까!

그 나라

당신은
저 아득한 나라
그 먼 나라를 알으십니까?
그 나라는
도둑과 강도가 없고
애통과 부르짖음과 고통이 없는
더는 질병과 사망이 없는
나라입니다.

당신은
지상낙원이 될
그 먼 나라를 알으십니까?
그 나라는
외로운 사람들만이
마침내 환호하며 기뻐 외치는
나라입니다.

어머님!
그리고 당신과 나
그 나라에서

우리 함께 토끼와 사자를 키우고
노루와 호랑이를 키웁시다.

시월

왠지
시월이 오니
부치지도 못할
긴 편지를 쓰고 싶다.

그리고
시월엔
적조積阻했던 친구들
사랑하지만 헤어졌던 사람들
그리운 사람들과 만나
한적閑寂한 찻집에서 얘기하며
한잔의 원두커피를 마시고 싶다.

시월엔
산과 들로 나가
색체 화가가 그린 것보다
더 예쁘게 물든 단풍을 따서
정성을 담은 긴 편지를
이름 모를
합당한 성향을 지닌 사람들에게
천국의 기쁜 소식을 전하고 싶다.

이렇게 하소서

나보다 우월優越해지려는 사람 있으면
그가 우월해지도록 아량雅量 주소서
판단判斷은 위에서 하실 것이니

곁에 비웃는 사람 있으면
그와 멀리 있게 하소서
시험試驗을 피하기 어려우리니

투덜거리는 사람 있으면
그가 합당한 성향을 지니게 하소서
온유溫柔한 사랑이 움트리니

나만 못해 보이는 사람 있으면
나보다 나은 점 보게 하소서
분명分明 나은 점 있으리니

부유富有해지려고 결심한 사람 있으면
그가 무가치無價値한 짓임을 알게 하소서
수치羞恥를 당하지 않을 것이니

즐거운 사람 있으면
그와 함께 있게 하소서
기쁨이 더 불어나리니

바다에서

바위섬이
바다 속으로 드리운 피피섬을 향하면
잔잔한 파도는
물고기 비늘처럼 빛나
은빛을 만들어 내곤 부서집니다.

힘차게 달리는
뱃머리에는 흰 거품을
쉬지 않고 토해 내고
이것은 또 다시 바닷물이 됩니다.

바다는 언제나
비밀을 누설하지 않지만
때론 성난 파도로 자기를 표출하기도 합니다.
인생의 삶도 이와 마찬가진가 봅니다.

저만치서 끊임없이 밀려오는 파도는
힘이 미치지 못하여
바닷가 모래를 적시지 못합니다.

아내와 나는 바닷가를 거닐지만
서로 다른 생각에 빠져 있습니다.

주여!

주여!
당신의 해시계는
참으로 길었습니다.
물론
당신의 한 해는
인간의 한 해와는 다르므로
365일 5시간 48분 43초는
한 해가 아니라는 걸 압니다.
하지만
당신의 큰 날은
너무 더디었습니다.

당신의 창조물에 지나지 않는
제가 보는 관점으로도
현 세상은 낡고 타락하였습니다.

주여!
이젠
당신의 해시계 위에
당신의 손을 얹으십시오.

그렇게 했습니다

한 우물만 파라기에 한 우물만 팠습니다.
여러 우물을 판 사람은
단물 쓴물 비린 물 맛보아 알겠지만
한 우물만 파라기에 그렇게 했습니다.

앞만 보고 걸으라기에 앞만 보고 걸었습니다.
갖은 역경逆境 풍파風波를 견디면서
고달픔도 이겨내고
앞만 보고 걸으라기에 그렇게 했습니다.

또 공짜를 바라지 말라기에 바라지 않았습니다.
수고의 대가 없이 먹을 것을 섭취하는
냄새 발달한 하이에나처럼 살지 않고
실제實際의 노력으로 그렇게 했습니다.

또 젊음을 바치라기에 젊음을 바쳤습니다.
요령과 꾀를 부리지 않고
혼신을 다해 젊음을 바쳐서
여기까지 왔습니다.

이는 누구입니까?

주여!
배불리 먹겠지만
굶주릴 자 누구입니까?

충분히 마시겠지만
목말라 할 자 누구입니까?

환호하며 기뻐하겠지만
수치를 당할 자 누구입니까?

마음이 유쾌하여 기뻐 외치겠지만
마음이 아파 울부짖을 자는 누구입니까?

그러면 당신께서
실제로
다른 이름으로 부를 자는 누구입니까?

굴하지 않으리

내가 궁핍窮乏하고 내게 어려움이 온다 해도
난 믿음으로 안내하며 타협妥協하지 않으리.

이 세상이 나를 조롱嘲弄하고 압력壓力을 가하여도
난 아름다운 지상낙원地上樂園을 위해 굴하지 않으리.

사탄이 나에게 믿음을 허무虛無하게 할지라도
난 절대로 그 날을 위해 포기하지 않으리.

사탄이 날 믿음이 결핍缺乏된 사람으로 만들어도
나는 헌신獻身으로 항상 굴하지 않으리.

설령設令
당신이 내게 편파적偏頗的으로 행하셔도
나는 당신과 동행同行하기를 포기하지 않으리.

당신이 낡고 타락한 현 세상을 계속 방치하더라도
나는 의심疑心하지 않고 소망을 포기하지 않으리.

나는 끝내

타협하지 않으리.
굴하지 않으리.
포기하지 않으리.

그리움

벌써 객지 생활 열하루
밤은 고독을 느끼게 합니다.

밤은 수면을 위함이 아니라
고독을 곱씹는 시간입니다.

이 밤
기억 속에 수없이 많은 사람이
떠오르고 떠오르지만
침실의 고독을 막지는 못합니다.

때로는
그리움도 삶에 약이 된다지만
한순간에 그리움이 터져 나와
이 밤을 설치게 합니다.

어느 땐 그리운 이가
나도 모르게 불쑥 나타나
심장의 고동을 뛰게 합니다.
꿈이 아니길 상상해 봅니다.

친구

자취自炊를 하던 중학생 시절
내겐 둘도 없는 친구가 있었습니다.

하지만 내겐 졸업과 동시에
어쩌다가 기약도 없이 헤어진
친구가 있었습니다.

십년이 되도록
만나지 못하고 있었으니
꼭 한번은 꼭 만나야 할
몹시 그리운 친구였습니다.

그래서 난 언제부턴가
나도 모르게
그 친구를
만날 수 있게 해 달라고
하느님께 두 손 모아
기도하였습니다.

그러나
하느님은

저의 기도를 듣고만 계시고
오랜 기간이 지나도록
제 기도를 들어주시지 않으셨습니다.

아마 그런 사소한 일은
제 스스로 해결하기를
바라시는 것 같았습니다.

그래도 난 포기하지 않고
계속 기도로 간청하였습니다.
그래도 하느님은 언제나 침묵하실 뿐
제 기도를 해결해 주시지 않으셨습니다.

그럼에도
난 그 친구를
한시라도 잊어 본 적이 없었습니다.
친구가 몹시 보고 싶을 땐
못 피우는 담배라도 한번쯤은
피워 보고도 싶었습니다.

어느 땐가 나는 흘러간 옛날
깡통 같은 버스를 타고

종로를 지나칠 때에
종로5가에서 차창 너머로
그 친구가 걸어가는
모습을 보았었습니다.
그래서 난
정거장에서 바로 내려
그 친구를 향하여
미친 듯이 달려가 보았습니다.

그러나 바라던 친구가 아니었습니다.
난 그곳에서 물끄러미 서서
난 내가 한 행동에 대해 무엇인가
의심스러워했습니다.

세월은 또 다시 십수 년이 지나갔습니다.
서울에 올라와 첫 친구였기에
난 끝내 잊지 못하고
다시 찾기로 결심하였습니다.

그래서
전화번호부의 이름을 찾아보고
다른 친구들에게

전화를 하여 알아보았습니다.
그러나 소용이 없었습니다.

하지만
어느 날 하느님은
예전의 내 기도를 잊지 않으시고
그 친구와 통화를 하도록
허락해 주셨습니다.

「삼십 년이 지난 이날 처음으로 설레는 마음을 가다듬고 통화를 하게 되었다.

처음 듣는 목소리에 나는 내 신분을 말했다.

그 친구는 대뜸 너 지금 어디에 있느냐고 묻기에 서울에 있다고 했다.

친구는 군포에서 한 시간도 안 되어 나에게 달려왔다.

나는 그 친구에게 물었다.

내가 정릉동에서 자취하던 중학생 시절,

"네가 수시로 가져다 준 반찬은 누가 주어서 가져온 것이냐?"고.」

고민苦悶

계절이 바뀌는 늦가을에는
사람들이 고민으로 가득 차 있습니다.

미화원들은 쓸어도 끝없는
낙엽 때문에 고민을 할 것입니다.

주부들은 파김치, 깍두기를
해야 할지 고민을 할 것입니다.

학생들은 어느 대학을 가야 할지
밤낮으로 고민을 할 것입니다.

노숙자들은 긴 겨울을
어떻게 지내야 할지 고민을 할 것입니다.

정치하는 사람들은 새해에 쓸
예산을 결정하기 위해 고민을 할 것입니다.

아마,
새로운 계절이 또 다시 온다 해도

많은 사람들은
고민으로 가득 차 있을 것입니다.

그러나
스물아홉 시집 안 간 딸만큼은
아무런 고민을 하지 않습니다.

절실한 기도를 드려야 하는 건지
내 마음은 고민으로 망울져 있고
내 가슴속에서는
소망만을 키울 뿐입니다.

처음 만난 사람

유난히 별빛 빛나는 새벽하늘을 뒤로하고
난 이른 아침부터 숨차게 달려온 자들과
이슬이 풀잎에 흠뻑 맺힌 푸른 들판을 걸었다.

낮엔 살갗이 벗겨질 정도로 내려 쬐는 햇볕에서
처음 만난 사람들과 온종일 들판을 걸었지만
하루는 짧기만 하고 힘들지 않아 걷고 또 걸었다.

난 처음 만난 이들과 잠시 동안 있었지만
마치 오래 사귄 친구처럼 마음이 편하여
찜통 속 들판을 걸었지만 지루하질 않았다.

비록 짧은 시간이었지만 간직하고 싶은 이들
오래 머물고 싶지만 그럴 수 없는 이들

난 이들과 멋쩍은 모습으로 헤어져
다시는 못 볼 것처럼 헤어지기보다는
삶이 지루할 때 보고픈 사람이 되어
같이 만나고 싶은 사람이 되고 싶다.

난 처음 만난 이들이
날 친구라고 불렀으면 좋겠다.

미처 몰랐습니다

난 당신이
사랑의 원천이시라는 걸 알았지만
그토록 충성스러우신 줄
예전엔 미처 몰랐습니다.

난 당신이
공의를 베푸신다는 걸 알았지만
그토록 불공정이 없으신 줄
예전엔 미처 몰랐습니다.

난 당신이
능력이 크시다는 걸 알았지만
그토록 만물을 새롭게 하시는 줄
예전엔 미처 몰랐습니다.

난 당신이
지혜를 베푸신다는 걸 알았지만
그토록 숨겨진 신성한 비밀이 있는 줄
예전엔 미처 몰랐습니다.

벽난로 앞에서

초저녁잠이 많은 아내는 잠들어 있는 이 밤
시집을 한 권 펴기로 결심을 하고 나니
마음이 경직되었는지 선잠이라도 청하였지만
야속하게도 잠을 이룰 수가 없었다.

늦은 밤 조용히 침실을 나와
거실 벽난로에 불을 지펴 놓고
타오른 불길을 고요히 바라보고 있느라니
문득 보름 전에 폴란드(갈리치아)에서 보았던
독일의 아우슈비츠* 강제수용소가 떠올라
더 잠을 이룰 수가 없었다.

죄 없는 사람 강제로 끌고 와
회색 줄무늬 단체복 입혀 놓고 거짓말하고
가장 효과적 다량 학살 방법으로
가스실(바데안슈탈트)에서 가스를 마시게 하여
숨지게 한 후 머리털은 잘라서 보관하고
바로 옆 화장막(아인에서룽스외펜)에서
화장火葬을 하는 만행을 저지르기를 400만 명에 이르렀으니

이것이 무슨 강제수용소란 말이냐

며칠 후 모두 죽게 될 줄도 모르고 있던 그들
죽이라도 받아먹고 살아보려고
양철 밥그릇 들고 줄 서서 기다렸던
유대인들, 정치인들, 양심적 종교인들,
아!
히틀러라는 인물은 인간이었을까!

생각하면 생각할수록 자꾸 속이 메스꺼웠다.
그리고 뒷덜미가 자꾸 땡겼다.
오늘은
새벽닭이 울 시간에야 잠이 들었다.

* 아우슈비츠 : 갈리치아에 있는 폴란드 마을 오슈비엥침 부근에 있는 독일 최대의 강제 수용소. 1940년 4월 27일 히틀러의 명령에 따라 건립된 최초의 수용소임. 1945년 1월 17일 소련군이 진격해 오자 폐기되었고, 포로들은 다른 곳으로 이송됨.

제2부

자연과 추억

오월의 유혹

오월
느티나무 아래 서면
연녹색 나무 잎새는
하루가 다르게 짙어져 가고
나뭇잎 사이에선
무언가 흩날릴 것 같은 느낌이 든다.

오월에
버드나무 그늘에 서면
나날이 더해 가는 짙푸름 속에
땅에서 공중에서 하늘에서
무언가 움찔거리며
나타날 것 같은 느낌이 든다.

해마다 이맘때만 되면
새로운 녹음이 다시 돋아나고
천지엔 이미 꽃잎이 피고 진다.

찬란한 오월이 오면
세상 사람들 모두가

가슴속에서 시인이 되려는
고동鼓動 소리가
하늘을 향해 날아오른다.
오월에는……

청계산

구백이십 계단을 딛고
오늘 와 다시 보니
작은 계곡 사이에서 무엇인가
내 시선을 끌어당긴다.

예나 다름없이
돌은 발끝에 부딪치고
가다가 멈추어 다가서 보면
다람쥐와 마주친다.

정적 속에 작은 모습으로
저만치에 늘 서 있는 자작나무는
어색하지 않게 자주 마주치니
반갑지만 그냥 지나치리라.

넌
눈보라와 몰아치는 태풍 속에서도
조금도 몸을 바르르 떨지 않고
어두운 밤을 항상 침묵으로 맞이하니
참으로 대견스럽고 장하다.

내가 청계산을
자주 오고픈 것은
너에게 새로운 예감을 느끼고자 함이며
너와 다정함을 찾아보려는 발길이다.

자작나무야! 자작나무야!
삼월이 오면, 삼월이 오면
또 다시 네게
갑자기 다가갈게.

고향의 봄

중개울* 어귀에 서서
그 옛날
뿌연 흙먼지 신작로와 연결된
달구지 길을 따라
계속 마을로 들어서면
담장 너머로 인고忍苦를 겪어 낸
낯익은 농기구들이
발걸음을 멈추게 하고

내 어렸을 적 봄날
뒷동산 이름 모를
봉분封墳 앞에서
씨름 연습했던
분묘墳墓는 간 곳 없고

세모시 광목 치마 입은 아낙네들
한 양재기 빨랫감 이고 나와
마욱산* 기슭에서 내려오는
냇가에 옹기종기
똬리를 틀어 깔고 앉아

빨래 방망이 치던 곳은
흔적 없이 없어지고

어른들이 연애당戀愛堂이라고 부르던
오리五里 밖 송곡리松谷里에 있는
자그마한 하얀 교회도 간 곳 없이 사라지고

십리 밖 오일장 주래* 장터엔
쟁기 보습, 쇠스랑, 호미와 낫을 만들던
대장간도 간 곳 없이 사라지고

내 고향!
내 고향 이제 와 다시 보니
천지가 변하였다.

* 중개울 : 경기도 이천시 설성면 수산리.
* 마욱산 : 경기도 이천시 설성면 대죽리에 있는 산.
* 주래 : 경기도 안성시 일죽면에 있는 장터.

고향의 여름

초저녁 마당에 멍석 깔고
우선 쑥대 베어 모깃불을 지펴 놓고
두레상에 여러 식구 둘러앉아
애호박 양념간장에
한 사발 칼국수를 먹으려면
쑥 냄새 연기에 눈물깨나 흘렸지만
그 시절 그 추억이
또 다시 내게 온다면
손수건이 눈물로 흠뻑 젖어도
조금도 싫어하지 않으리.

툭하면 동네 어른들은 모여서
냇물 위에 나무 말뚝 몇 개 박아
외나무다리 만들었지만
장마만 오면 여지없이
동화책 이야기처럼
물에 떠내려가던 그 다리
또 다시 함께 모여 그런 다리 놓는다면
그 다리 만들러 맨발로 나서리.

우리 집 뒤뜰엔
고작 개살구나무와 복숭아나무
그리고 고욤나무가 전부였지만
그것마저 베어져 없어지고 말았다.
만약 지금도
그 나무 그 자리에 서 있다면
난 입안에 침을 가득 문 채로
내 고향을 향하여 달려가리.

고향의 가을

담장에 애호박이 주렁주렁 매달리면
남몰래 못으로 호박에 낙서하고

잠자는 황소 불알에 고무 활 쏘아
황소가 움찔 놀라 벌떡 일어나게 하고

수탉 붙잡아 이웃 동네 수탉과 싸움 붙여
벼슬에서 피 터지도록 싸우게 하고
거기에서 재미를 느끼는 개구쟁이였지만

난 한번도
남의 밭에 들어가 무를 뽑아 먹거나
고구마를 캐어 먹지는 않았다.

남들은 싸리문이나 양철 대문에서 살았지만
나는 송판松板 대문과 기와집에서 살았고
쌀밥도 먹고 강낭콩과 감자 섞인 보리밥에
고추장 넣어 비벼서 실컷 먹을 수 있었고

아버지와 우마차 타고 들판에 나가면
천지에 먹을 것이 있었으니까!

고향의 겨울 · 1

겨울이면
행랑行廊채 벽에 매달린 시래기는
여러 반찬으로 사용되고
바깥마당에 누워 되새김질하는
황소는 봄을 위해 힘을 저장했다.

아이들은 찬바람 불면
양지바른 헛간을 이용해
제기차기 놀이 하고 놀지만
나는 군불 지펴 소죽을 끓이고
방을 따뜻하게 해야 했다.

아궁이에서 타는 참나무는
숯불이 되어
인절미와 쑥떡과 가래떡을
구워 먹는
화롯불이 되었다.

그리고
얼음이 얼면 내가 만든 썰매로

물 많던 논을 찾아가 썰매를 타고
손과 발이 얼어야 집에 돌아왔다.

고향의 겨울 · 2

옛날 고향 어른들은
다음 농사의 풍년을 기원하며
논두렁과 밭두렁에 쥐불을 놓고
농번기農繁期를 기다리면서
농촌을 떠나지 않고 살아왔고

산새들과 텃새들도
숲을 떠나거나 거주지를 떠나지 않고
자기가 자리 잡은 곳에서
대물려 가며 살아가고 있다.

하지만
지금의 내 고향은 그렇지 못하고
어려서 재잘거리며 소꿉장난 하던 놈들이
모두 농촌을 떠났다.

어떤 놈은 출세한다고 고향을 떠나고
어떤 놈은 돈 번다고 고향을 떠나고
어떤 놈은 초등학교 동창끼리
결혼하여 떠났다.

이젠, 남은 것이라곤
희미한 추억만이 눈앞에서 아른거릴 뿐이다.

시인이여 · 1

그대는
백년 후에도 살아남을 수 있는
시詩를 쓰기 위해 잠을 자다가도
벌떡 일어나 써 놓은 문장을 고쳐 가며
온밤을 꼬박 새우시는가!
지금
지구 곳곳에서
수없이 많은 시인들이
문학의 꽃을 남기려고
욕심 부리며 애태우는데

그대는
무얼 위해 불면증을 극복해 가며
온밤을 뜬눈으로 지새우는가!
위대한 시인들도
겨우 한 편의 명시만을 남겼을 뿐
평범한 환경에서는
주옥같은 시가 나올 수 없고
보통 사람에게는 위대한 시가
나올 수 없지 않는가!

시인이여 · 2

죽고 싶거든 시를 쓰시오
배신을 당하였거든 시를 쓰시오
죽을 날이 다가오거든 시를 쓰시오
외롭고 괴롭거든 시를 쓰시오
사랑한 사람이 사망했거든 시를 쓰시오
사업에 실패했거든 시를 쓰시오
먹지 못해서 배고플 땐 시를 쓰시오
내가 보잘것없는 사람으로 느꼈을 땐 시를 쓰시오
생활비가 떨어져 고통스러울 땐 시를 쓰시오
공연空然히 울고 싶을 땐 시를 쓰시오

자연

비 내린 후 산 봉우리에
내뿜는 안개가 없다면
이것은 자연이 아니다.

해질 무렵
저녁노을이 없다면
이것도 자연이 아니다.

깊은 가을밤,
귀뚜라미가 울지 않는다면
이것도 역시 자연이 아니다.

호수 앞에서

봄풀이 저리 푸르러도
양과 송아지는 보이지 않고
짝지어 나는 나비만이
내 시선을 사로잡는다.

나비를 보니
문득 집 마당에 피었던
상추꽃 생각이 나고

연못 속을 들여다보니
천지는 새롭기만 하다.

십일월

왠지 십일월은
고향을 찾아가
힘없이 떨어져 버린
낙엽의 길을 마냥 걸으며
옛일을 떠올리게 하고 싶다.

그리고
말라 버린 낙엽을 긁어모아
밤새워 모닥불 피워 놓고
옛 친구들과 옛이야기 하며
낙엽 타는 냄새에
물씬 도취陶醉되어
옛일을 떠올리고 싶다.

지난날의 가지가지 추억을
회상하고 싶다.

전화

처음 휴대폰을 손에 쥐던 땐
전화벨 소리 울리면
그땐 기뻐서 빠른 동작으로 받았소.

그러나 오늘날은
안 들고 다닐 수도 없고
전화벨 소리 울리면
지겹고 짜증스러워 못 살겠소.

전화는 궁금증만을
전달해 주는 통신 수단이니
제발
염치도 없는 상인들이시여
그러지 말았으면 고맙겠소.

침향沈香

갑자기 날아온 것이
거닐던 발걸음을 멈추게 한다.

인적人跡 없는 곳에서
그 무엇인가가
내 육신을 붙들어 놓는다.

그냥 지나치지 못하고
절로 향기 따라가니
저만치 보잘것없는
한 그루의 라일락……

이 작은 것이, 이 작은 것이
이토록 그윽한 향기를 뿜어 대다니
설마
침향*의 향기가
그토록 좋다고 하기로서니
이보다 더 그윽한 향기였을까!

* 침향 : 시편 45:8, 잠언 7:17, 아가서 4:14

너구리

가지가지마다
하얀 쌀알이
다닥다닥 열린
조팝나무 아래

까만 눈동자에
쭈그리고 앉아
움직이지 않으면서
무얼 그리 생각하는가

두려움으로 가득한 것인가
아니면
속이 출출한 탓일까!

목련화

여기저기서
올망졸망한 꽃망울은
한번 피워 보려고 재촉하는데
피고 지면 그만인 것을
왜 그렇게 피려고 서두르는가!

그렇다고
우아한 자태로 피우지도 못하면서
그리고 은은한 향기를 내뿜으며
오래 가지도 못하면서
왜 그리도 서두르는가!

목련화야! 목련화야!
되도록 피우지 말고
그냥 그 상태로 있어 주렴

혹시
나만이
남들처럼 평범하지 못하고
피어나려는 꽃을 싫어하는 것은 아닐까……

인생은

소망 없는 인생은
입김처럼 없어지는 것.

그리고
아침 이슬처럼 흔적 없이
지워지는 것.

때론
태풍을 동반한 먹구름처럼
떠돌다 가는 것

하지만
소망이 있으면 지칠 줄 모르고
기분이 좋으면 웃음이 나오고
만족하면 행복을 느끼는 것

그러나
자연으로 돌아가고 싶어지면
육신은 늙어 가는 것

평소에 하던 운동을 못하게 되면
병풍屛風 뒤로 갈 날이 다가오는 것

아픈 것을 느끼지 못하고
육신이 차가워지기 시작하면
죽어 가는 것이다.

선거

선거 때만 다가오면
자기가 후보감이 아니라는 걸 알면서도
공연히 불출마 선언을 발표해 본다.

선거 때만 다가오면
자기가 후보감이 아니라는 걸 알면서도
자기가 몸값을 올려 보려고 출마를 한다.

선거 때만 다가오면
자기가 당선이 안 될 줄을 알면서도 출마하여서는
적절한 시기에 다른 후보를 지지한다는 성명을 한다.

선거 때만 다가오면
남의 흠 연구하여 네거티브를 공표하여
남의 명예에 흠집을 내고는
은근히 자기를 높이 치켜세워 자랑한다.

선거 때만 다가오면
상대방을 세워 주기보다는
오히려 인신을 공격하고 끝까지 깔고 뭉갠다.

선거 때만 다가오면
이런 방식은 되풀이되고 사라지지 않는다.

제3부

청합니다

저를 이렇게 하소서

내가 조금도 내 자신을 위하여
자식을 나무라지 않게 하시고
나무랄 땐 노엽게 하지 않으려는
아버지가 되게 하소서.

내가 자식들의 이야기를
끝까지 신중하게 들어주는
아버지가 되게 하시고
자식들이 묻는 질문에는
성실하게 답변해 주는
아버지가 되게 하소서.

내가 몹시 화가 났을 때에도
악마의 소리가
입에서 튀어 나가지 않게
입술을 제어制御할 수 있는
아버지가 되게 하소서

늙어서는 무거운 짐 진 자식에게
짐이 되지 않는

아버지가 되게 하시고
자식의 지난 실수失手를
다시 들추어
자식이 마음 상하지 않게 하시고
다만
제가 선과 이지력理智力으로
자식을 다스리게 하소서.

제 인생을 이렇게 하소서

주님! 당신께서는
제가 근육통증증후군으로
어깨가 날로 굳어져 가는 것을
알고 계시고 언젠가는 제가 이 병으로
정말로 늙어 버릴 것이라는 것을
누구보다도 잘 알고 계실 것입니다.

제 육신이 늙어 가는 건 어쩔 수 없지만
제가 늙더라도 잔소리를 많이 하거나
한 얘기 또 하지 아니하고
요점 잡힌 말로 떠들 수 있게 해 주시고

늙어서는 친구가 없더라도
시무룩한 자가 되지 않고
그렇다고 너무 선한 체 하지도 않는
그런 사람이 되게 하여 주십시오.

그리고
당신이 하신 말씀과 현실이 다르더라도
의심하지 않게 하시고

가진 것이 없더라도
거짓과 타협하지 않게 하시고
잃은 것이 있더라도
침묵할 수 있게 하시고
다만
제가 정직한 비평가의 찬사를 듣는
그런 사람이 되게 하여 주십시오.

자식子息을 이렇게 하소서 · 1

불공정不公正이 만연한
현 사물事物의 제도에서
자식이 갖가지 유혹에
시험 당하지 않게 하소서

뇌물賂物을 멀리하게 하시고
공의公義만 추구하여
존경받는 자식이 되게 하소서

권세權勢가 안개인 줄 모르는 자와는
교제하지 않게 하시고
벼슬에 눈먼 자를 긍휼矜恤히 여기는
자식이 되게 하소서

보증保證을 서지 않게 하시고
남에게 이자利子를 받지 않는
자식이 되게 하소서

도박*하는 자들과 멀리하게 하시고
그런 자들을 구별할 줄 아는
자식이 되게 하소서

* 도박 : 화투, 주식 투자, 전자 게임, 각종 내기.

자식子息을 이렇게 하소서 · 2

해害를 입힌 자들에게
앙심怏心이나 분개심을 품지 않고
도리어 그에게 관용寬容을
나타낼 수 있는
자식이 되게 하소서

그날의 다툼을
내일로 넘기지 않고
밤이 오기 전에
화해和解할 수 있는
자식이 되게 하소서

그리고
잠에서 덜 깬 사람처럼
행동하지 않게 하시고
늘 정신을 차리고 깨어서
창조주創造主를 기억하게 하소서

알게 하소서

의義가 무엇인지 알게 하소서
의로 걸을 수 있을 테니까

사랑이 무엇인지 알게 하소서
사랑을 베풀 수 있을 테니까

유혹이 무엇인지 알게 하소서
유혹에 걸려들지 않을 테니까

지혜가 무엇인지 알게 하소서
미련한 자가 되지 않으려니까

진리가 무엇인지 알게 하소서
진리를 전할 수 있을 테니까

능력이 어느 정도인지 알게 하소서
당신께 경건한 두려움을 나타내려니까

두 번째 하는 기도

힘과 능력을 갖추신 당신께서
세상을 보시는 관점이
저와는 사뭇 다르시겠지만
현 세상은 너무 낡고 타락하였습니다.

당신께서 지정하신 그날이
당신께서는 그때가 언제인지
말씀하시지 않으시겠지만
이 세상 사람들은
고난 속에서 살아가고 있습니다.

제가 감히 당신께서 하실 일인
말세末世에 대해
고민해 본 적은 없지만
언제까지 공의公義를 베푸실 것인지
지루할 때가 많습니다.

과분하신 친절로
사랑을 베푸시는 당신께서
제 자신의 유익을 구하지 않는
이 기도를 들어주신다면
저는 당신을 기쁘시게 하는

일을 하면서 닥칠
제게 오는 어떠한 핍박도
감당堪當할 것입니다.

당신께서만이 유일하신 신神이십니다.
그러하오니
권세를 쥐고 있던 자들이
권좌에서 물러난 후
존경받는 인간이 되게 하여 주시고
요직要職을 두루 거친 자들이 퇴직 후
평생 가슴 조이지 않고
편안히 지낼 수 있는
정직한 시대를 열어 주소서

정치하는 자들이
거짓말을 하지 않게 하여 주시고
그들이 말을 자주 바꾸어
속상하지 않게 하여 주소서

모든 인간에게
자유의지自由意志를 주셨지만

날이 가면 갈수록
자기 목숨을
경이輕易 여기는 자들이 늘어나고 있습니다.
산 자들이 함부로
자살을 하지 않게 하여 주소서

그리고
저울을 속이는 자들을
가증可憎히 여기시고
사업하는 자에게는
사기꾼의 올무에 걸리지 않게 하여 주소서

덕 보려고 하는 자에게는
자기 노력으로 보람을 느끼게 하시고
건달乾達들에게는
구슬땀이 마르지 않게 하여 주소서

고용인들은
육신의 상전上典들에게
순종順從을 하게 하여 주시고
고용주雇用主들은
그들에게 의義와 공평公平을
베풀게 하여 주소서

질투嫉妬와 다툼이 있는 곳에는
무질서와 사악肆惡함이 없게 하여 주시고
다투려는 경향이 발전하는 것을
저항할 수 있게 하는 지혜를 주소서

종교인들은
계명誡命을 꼭 지키는
자들이 되게 하여 주시고
사람의 말을
교리敎理로 가르치는 자들은
파렴치한破廉恥漢 자로 여겨 주소서

야심과 탐욕을 이용하여 접근하려는
사탄을 멀리하게 하시고
순진한 인간들이
이런 꾀에 걸려 넘어가지 않게 하여 주소서

입으로는
음탕淫蕩한 농담弄談을
하지 않게 하시고
선한 양심으로
두려움이 없는 자가
되게 하여 주소서

모든 것에
투덜거림이나 논쟁이 없이
일하게 하시고
흠 없고 나무랄 데 없는 자가
되게 하여 주소서

구부러지고 뒤틀어진
세대世代 가운데서
합당한 성향을 가진 자들은
현재 일어나고 있는
징조徵兆들에 대해 깨어 있게 하시고
그들에게 당신께서 정하신 때를
알도록 하여 주소서

요구가 너무 많아서
받아들이지 않으시겠다면
이것만은 꼭 들어 주소서
진리를 모르는 자들에게는
진리眞理를 알게 하여 주시고
진리로 하여금
그들이 해방되어 자유롭게 하여 주소서

왜 행복합니까?

의에 굶주리고 목마를 자는 행복합니다.
왜 행복합니까?
배부르게 될 것이기 때문입니다.

애통하는 사람들은 행복합니다.
왜 행복합니까?
위로를 받을 것이기 때문입니다.

성품이 온화한 사람들은 행복합니다.
왜 행복합니까?
땅을 상속받을 것이기 때문입니다.

지금 우는 사람은 행복합니다.
왜 행복합니까?
웃을 것이기 때문입니다.

영적 필요를 의식하는 사람은 행복합니다.
왜 행복합니까?
낙원이 그들 것이기 때문입니다.

의를 위하여 박해를 받은 사람은 행복합니다.
왜 행복합니까?
하늘 왕국이 그들 것이기 때문입니다.

예전에도 알았더라면

지금 알고 있는
당신의 가르치심을
유년기幼年期에도 알았더라면

그리고
지금 알고 있는
당신의 과분하신 친절을
청소년기에도 알았더라면
더 귀 기울였을 텐데

내가
지금 알고 있는 모든 것을
예전에도 알았더라면
난 지금 이렇지 않았을 텐데

무서운 시간

무서운 시간이 닥쳐오면
그대는 어찌 하시렵니까

도피행 승차권을 준비하시렵니까
아니면
답변할 준비를 하시렵니까?

지금
아름다운 일들
악몽 같은 일들
잊기 싫은 일들
잊고 싶은 일들이
뇌리에서 흐르는 이 순간에도
주어진 시간은 다가오는데
그대는 어찌 하시렵니까?

만약
답변할 준비가 덜 된 상태에서
큰 날이 도래到來한다면
그때는
어찌 하시렵니까?

주님!

주님께서는
가냘픈
저의 기도 소리에
무관심 않으시고
제 기도를
기꺼이 들어주셨습니다.

약속

당신은
무얼 약속하셨습니까?
지상낙원*을……
그러니까
노쇠해져 가는 근육을
인내할 수 있습니다.

당신은
무얼 약속하셨습니까?
영원한 생명*을……
그러니까
늙어 가는 육신을
참을 수 있습니다.

당신은
무얼 약속하셨습니까?
부활*을……
그러니까
영혼이 죽더라도
기다릴 수 있습니다.

* 낙원 : 누가복음 23:43, 계시록 2:7, 고린도후서 12:4

* 영생 : 로마서 5:21, 6:23, 요한복음 3:16, 17:2

* 부활 : 사도행전 24:15, 로마서 6:5, 계시록 20:6, 고린도전서 15:42, 요한복음 5:29

만약萬若

만약
당신의 계명誡命*에 불순종한다면

만약
진리에 대한 정확한 지식知識*이 없다면

만약
복음증거福音證據*를 게을리 한다면

그런 사람에게는 무슨 상賞*이 있습니까?

* 계명 : 마가복음 12:28, 마태복음 15:3, 22:40, 요한복음 14:21, 요한1서 5:3, 계시록 12:17
* 지식 : 이사야 11:9, 호세아 4:6, 요한복음 17:3
* 복음증거 : 사도행전 20:24, 디모데후서 4:5
* 상 : 히브리서 11:6

적은 무리

저는 절대로
적은 무리*까지는 바라지 않습니다.

다만 저는
큰 무리* 계열이라도
끼워만 주신다면
더 바랄 것이 없습니다.

* 적은 무리 : 누가복음 12:32
* 큰 무리 : 계시록 7:9

내가 택한 길

내게는 두 갈래의 길이 있었습니다.
거기에는 넓은 길과 좁은 길*이 있었습니다.

넓은 길은 순탄하여 찾는 이들이 많지만
나는 그 길을 택하지 아니하고
다른 길을 택하였습니다.

그 길은 협소하여 찾는 이들이 없는
아주 비좁은 길을 택한 것입니다.

그리고 난
두 길을 다 가지 못하는 것을
조금도 아쉽게 생각하지 아니하고
훗날 넓은 길로 다시 돌아올 것을 의심하면서
미련 없이 그 길을 택하였습니다.

난
그 길에서
나의 옛 인간성을 벗어버리고
새 인간성을 입기로 하였습니다.

난 내가 정한 그 길만이
평화와 안전이 있을 것으로 믿고
그곳에 보물을 쌓아 두기로 하였습니다.

그곳에는 좀도 없고
누가 와서 도둑질할 수도 없는
그러한 곳이기 때문이었습니다.

언젠가 나는
사람들 앞에서 분명히 이야기할 것입니다.
좁은 길을 택하여 모든 것이 달라졌다고…….

* 넓은 길 좁은 길 : 마태복음 7:13,14

이집트Egypt야

너는 그 옛날* 이미 상이집트와 하이집트를 통일하였고
지상에서 제일 긴 나일 강*을 상속받아 비옥한 토질과
가장 유구한 역사와 찬란한 문명을 유산 받지 않았느냐

그리고 언어도 어휘와 문법이 같은 함족 언어와
셈족 언어를 사용하였던 나라가 아니더냐
그런데 어찌하여 오늘날 문맹인이 55% 넘게 되었느냐

나는 오늘 너의 참 모습 보려고 큰 기대 가슴에 안고
흙먼지를 헤치고 너의 나라 카이로에 왔는데
어찌하여 도시엔 무장 경찰들로 가득하고
거리엔 거지들이 가득하단 말이냐
이것이 너의 참모습이었더냐

한때는 너희가 나일 강 덕분에 권세와 위엄을 과시하였고
비옥한 토지 때문에 배불리 먹고 살지 않았더냐
그런데 어찌하여 이렇게 척박한 땅이 되어 버렸단 말이냐

롯*은 너의 땅이 얼마나 비옥하였으면
물이 넉넉하였던 소돔과 고모라를 가리켜서

'여호와의 동산 같고 이집트 땅 같았다' *라고
까지 하지 않았더냐
그런데 어찌하여 너는 이 지경이 되었느냐

너는 네가 과거에 저지른 옛일을 돌이켜 보아라
그 옛날 너의 땅에서 파라오*는 건방지게 처신*하였고
백성들에게 자기를 살아 있는 라신의 아들로 여기게 하였다
그리고 증거에 따르면 너는 주술적*이고 원시적인 미신을
너의 나라에 뿌리내리게 하고 주술사들을 사용하였다
하지만 너의 주술사들은 모세와 아론의 기적*들을
흉내 내지도 못하였다

또한 너희 하느님께서는 너에게
어떤 동물의 형상*이나 어떤 형태의 물체를
만들지 말 것을 경고하였고
심판*을 집행하겠다고 예고하였다
그러나 너는 청종하지 않았고 불순종하였다

그리고
너는 백성들에게 동물 우상숭배*를 숭배케 하였으며
금송아지 상*이나 아피스 상*을 만들어 숭배케 하였다
그래서 너희 나라는 토속신, 삼신, 라신 등 다신*이
너의 나라를 온통 뒤덮게 하였다

또한 너는 영혼을 환상이나 윤회에 대한 신앙—영혼 불멸을 위해
인간의 몸을 보존하여 영혼이 때때로 돌아와서 사용할 수 있게 해야 한다고
모든 시신屍身을 상하지 못하도록 하였고
미라가 안치된 무덤은 죽은 자의 집으로 여겼다
그리고 죽은 왕족王族의 대저택大邸宅인 피라미드*를
죽은 자가 미래에 사용할 수 있도록
장신구, 옷, 가구, 식량과 사치품을 무덤에 저장해 두었고
떠난 자를 악령들로부터 보호하기 위해
주문과 부적을 해 두고

수호자인 거대한 스핑크스에게 파수를 서도록 하였지만
악령들의 보호는커녕 인간 도굴범들의 소행조차도 어쩌지 못하고

이집트야
너는 여러나라로부터 지배를 받은 관계로
네가 가지고 있는 것은 빈 깡통뿐
온전한 유물들은 어디에 있느냐

이집트야
너의 잘못이 너무 많아 어찌 다 열거하겠느냐
너는 잘 들어라
너에 대한 조언은 이러하다
너는 너의 하느님을 두려워하고 그분의 계명을 꼭 지켜라
이것이 네가 해야 할 본연의 의무이다

* 옛날 : BC2926년경, 나일 강 : 길이 6671㎞

* 롯 : 데라의 손자, 아브라함의 형제인 하란의 아들. 따라서 아브라함의 조카(창세기 11:27).

* 여호와의 동산 같고 이집트 땅 같았다 : 창세기 : 13:10

* 파라오 : 이집트 왕에게 주어진 칭호. 초기에는 왕궁을 가리켰으며 시간이 흐르면서 정부의 우두머리, 곧 왕을 의미함.

* 건방지게 처신 : 출애굽기 5:2

* 주술적 : 창세기 41:8

* 모세와 아론의 기적 : 출애굽기 7:11, 22, 8:7, 18, 19

* 동물의 형상 : 신명기 4:16-18

* 심판 : 출애굽기 12:12

* 동물 우상숭배 : 출애굽기 32:1-8, 로마서 1:22, 23

* 금송아지 상 : 출애굽기 32:4

* 아피스 : 고대 이집트 종교에 나오는 신성한 황소 신.

* 다신 숭배 : 투트모세 3세의 무덤에서 발견한 명단에는 신의 이름이 740개나 들어 있음.

* 피라미드 : 파라오들이 기자에 세운 이집트의 가장 유명한 무덤 건축물. 가장 큰 피라미드는 쿠푸의 것으로 높이가 무려 137m(현대 건물 40층 높이).

제4부

사랑을 전합니다

당신은 모르십니다

남달리 맑고 노르스름한
눈동자를 지닌 당신이기에
나는 당신을 무척이나 좋아하지만
당신은 모르십니다

암흑 같은 세상에서
새로운 하루가 시작될 때마다
당신이 내게 힘이 되어 준 당신이므로
나는 당신을 좋아하지만
당신은 모르십니다

남들은 어려워서
내게 직접 할 수 없는 말들을
당신은 그 말을
서슴없이 할 수 있는 관계이므로
나는 당신을 좋아하지만
당신은 모르십니다

내가 필요로 하는 것을 이해해 주고
당신이 내게 준

수많은 정성에 무한히 감사하지만
당신은 모르십니다

고민을 함께 하고 어려운 고비를
함께 한 당신이기에
당신을 사랑하지만
당신은 모르십니다

시간과 공간을 함께 하는 사람으로서
서로 위안을 주고
의지가 되어 주는 관계이므로
당신을 사랑하지만
당신은 모르십니다

서로 잊기 어려운 일이 있어도
용서를 해 줄 수 있는 관계이어서
당신을 사랑하지만
당신은 모르십니다

내 마음을

숨김없이 전부 털어놓을 수 있는
당신이기에
내가 당신을 필요로 하지만
당신은 모르십니다

이제껏 누구에게도
결코 얘기한 적이 없는
비밀스런 얘기를 나눌 수 있어
내가 당신을 좋아하지만
당신은 모르십니다

내가 당신을 얼마나 사랑하는지
뭔가 보여주고 싶지만
그 방법을 몰라서 고민하는 나를
당신은 모르십니다

그러나 당신이 몰라주더라도
내가 당신을 더욱 좋아하는 이유는
바로 여기에 있습니다

이른 아침부터
소망 없이 살아가는 사람을 위해
자원봉사를 하러 나서는
당신의 뒷모습을 볼 때
나는 당신을 더욱 사랑하지만
당신을 그것을 알지 못합니다

정말로
나는 당신을 진실로 사랑했습니다
다만 내가 당신에게
사랑을 표현하는 방법이 달랐을 뿐입니다

당신에게 · 1

오늘에 이르기까지
누가 무어라 해도
당신은 내게 빛을 주는 등불이었습니다.
그리고 당신의 크나큰 사랑은
나에게 환상이 아니라 현실이었습니다.

당신은
내가 소유하고 싶을 때 소유하게 해 주고
내가 허전할 때 그것을 잊게 해 주었습니다.
그리고 당신은
나와 멀리 떠나 있어도
날 꼼짝 못하게 가두어 놓을 수 있는
요술쟁이였습니다.

그러나
나는 당신과 수없이 많은 사람들 중에 만나
결혼행진곡을 올린 이후로 단 한 차례도
처음 만나던 때의 그 감정을
그대로 간직하지 못하고
여태껏
당신을 아주 불편스럽게 한 나였습니다.

당신에게 · 2

난
당신에게
겉으로 화려한 사랑을 나타내 보이지도 못하고
고마움을 마음속으로만 간직하고 있었을 뿐
이제까지 한 것이 아무것도 없습니다.

내가 당신에게 한 것이라곤
내가 속상해 했을 때 같이 속상하게 했고
약속約束어음이 돌아왔을 때 같이 해결하고
비밀스런 얘기를 함께 나누었을 뿐입니다.

그런데도 당신은
내가 당신을 부르면 어디든 달려와 주었고
한 번도 투덜거리지 않고 살아왔습니다.

어머니 · 1

어머니께서는
어느 날
제가 초등학교에도 들어가기 전
넷째 아들인 어린 저를
한마을에 사시는 딸 아들 못 낳으신
작은집으로 양자로 보내신 후

어머님께서는
갑자기 저에게 일부러 냉랭하게 대하셨고
겉으론 저와 상관相關 없는 것처럼 하시는 것을
저는 역역役役히 느낄 수 있었습니다.

그러나 그것은 어머님께서 저를 사랑하셔서
제가 어머니로부터 정이 떨어지게 하기 위해서
가상적假想的으로 그러시는 것이었지
제가 미워서 그러시는 것이 아님을
전 그때 이미 그걸 알고 있었습니다.

어머님은 저와 정을 떼어 보려고 노력하셨지만
끝내 정을 떼시지 못하셨고

저도 어머님처럼 정을 떼지 못하였습니다.
어머님은 맘속으로
저를 더 사랑하셨기 때문입니다.

어머니 · 2

어머님!
어머니는
지금
멀리 강원도 횡성에 계시옵니다.

어머니와 전
남들에 비해
너무 일찍 헤어지셨습니다.

그래서
내 작은 가슴속은 일찍이
검은 숯덩이가 되었지만
어머니는 그걸 모르십니다.

평생을 두고 잊어질 리 만무한
하늘같은 어머니께
전 지금도
연필을 손에 쥐면 부지불식간에
못다 하였던 사연들이 불쑥 떠올라
낙서를 해보고
또 지워 버리곤 합니다.

어머니 · 3

어머님!
저는
제가 어렸을 때
제게 베푸신 사랑이
저는 당연한 것으로
얄팍하게 생각하였습니다.

어머님!
저는
제가 배가 고팠을 때
제게 주신 음식이
저는 당연한 것으로
얄팍하게 생각했습니다.

어머님!
저는 제가 아팠을 때
냉수 한 그릇 떠놓고
쌀가마니 방석 삼아
무릎 꿇고 앉으셔서
신에게 비는 것이

저는 당연한 것으로
얄팍하게 생각했습니다.

하지만
이젠 그 모든 것을 압니다.

어머니 · 4

어머님!
오늘은 왠지 무척이나 그립습니다.
오늘이 십삼 년 전 오늘 어머니께서
제게 눈물을 주시고 횡성으로 가신 날입니다.

전 어머니께서 서울을 떠나시기 전에
광주廣州로 가고 싶다고 하신
그 말씀을 듣고도
전 어머니가 다른 곳으로 가시는 그 길을
막지 못하는 허수아비였습니다.
그것은 바로 제가 힘이 모자란 탓이었지요.

남들은 그게 뭐 그리 소중하냐고 말을 하지만
전 어머니께서 바라시는 것이 무엇인지 알면서도
그때 제가 그걸 그렇게 해 드리지 못한 것은
단지 제가 성의가 없어서가 아니라
제게는 능력이 절대로 부족했기 때문이었습니다.

저는 그날 어머님을 황성에 혼자 계시도록 두고
그곳을 떠나올 때 울컥 터지는 가슴을 부둥켜 쥐고

차마 움직여지지 않는 다리를 억지로 끌고서
돌아와야 했습니다.

현실은
어머님께서 저와 분명히 헤어지셨으므로
영혼을 볼 수도 없고 만질 수도 없지만
전 아직도
어머니께서 제 가슴속에 늘 자리하고 계시므로
멀리 떠나보내지 못하고 있습니다.

어머니 · 5

어머님이 그리울 땐
눈을 감아 봅니다.
그래도 그리운 날에는
노래를 불러 봅니다.

어머니가 보고플 땐
창 밖을 바라봅니다.
그래도 보고픈 날에는
낙서를 하여 봅니다.

어머님 모습이 선할 땐
밤하늘의 별을 봅니다.
그래도 눈앞에 선할 땐
눈물을 조금 흘립니다.

아버지 · 1

아버지께서는
제가 힘들어 할 때
모르는 척하셨습니다.
그것은 사랑이 없어서가 아니라
제 능력을 아셨기 때문에 그러신 걸
저는 미처 몰랐습니다.

아버지께서는
제가 매우 어려워할 때에도
모르는 척하셨습니다.
그것은 성의가 없어서가 아니라
저의 한계를 아셨기 때문에 그러신 걸
저는 미처 몰랐습니다.

아버지께서는
제가 경제적으로 고통을 겪을 때에도
무관심하셨습니다.
그땐 이미 아버지께서
능력이 없으셨기 때문에 그러신 걸
저는 미처 몰랐습니다.

아버지 · 2

아버지께서는 남들과 같이 화투도 못하시고
동네 어른들과 함께 놀아주시지도 않으셨습니다.
그리고
매년 논과 땅을 사들이시고 단 한번도
남에게 땅을 팔지도 않으셨습니다.

또한 아버지께서는 몇 명의 머슴을 두시고
젊은 연세에도 남들처럼 일을 하지도 않으셨습니다.
그리고
너무 일찍이 장남에게만 큰 권한을 주시고
장남을 앞세워 모든 업무를 시행해 나가셨습니다.
그래서
아버지께서는 고향에서 왕따가 되셨습니다.

딸에게

1

착한 딸 없으면 보고 싶고
있으면 보기 싫은 예쁜 내 딸
나는 나는 하얀 면사포 쓴 네 모습 보려고
키우고 기다렸는데 왜 시집을 못 가니 안 가니
시집가라 말하면 스트레스 받을까 봐
차마 말 못하는 내 마음을 왜 몰라주니
아빠는 석박사도 출세도 다 싫다

(후렴)
제발 시집 가 주렴 시집 가 주렴
속상해도 참고 사는 내 심정을 알아 다오
나 너를 정말로 사랑하니까

2

착한 딸 없으면 보고 싶고
있으면 보기 싫은 예쁜 내 딸

나는 나는 흰 드레스 입은 네 모습 보려고
참으며 살아왔는데 왜 시집을 못 가니 안 가니
시집가라 말하면 네 마음이 상할까 봐
차마 말 못하는 내 마음을 왜 몰라주니
아빠는 여장부도 권세도 다 싫다

너는 누구냐

근원을 알 수 없는 곳에서 나타나
내 마음을 송두리째 빼앗은 너는 누구냐

못다 핀 장미 꽃망울 같은 얼굴로
두 보조개로 미소 보이며
내 정신을 사로잡는 너는 누구냐

삼일만 못 보면 눈앞에 아른거려
온밤을 설치게 하며
고통을 가져다주는 너는 누구냐

네 눈동자만 보아도
세상 걱정을 모두 잊게 하는
한 번도 생떼를 써 보지 않은
너는 대체 내게 누구냐

내가 머리 아파할 때
저만치서 내게 달려와
한 아름 행복을 던져 주고
아스피린 역할을 하는

너는 도대체 내게 누구란 말이냐

지상 모든 인간들을 위해
큰일을 하겠다며
새끼손가락으로 약속한 너는
바로 세 살배기 나인

쌍둥아

여기 나고야의 밤하늘을
머리에 이고 있나니

너희가 누구이기에
우유를 먹어도
생각이 나고
아이스크림을 먹으면
더욱 생각이 나느냐!

너희가 무엇이기에
잠을 못 이뤄도
생각이 나고
고독을 씹으면
더욱 생각이 난단 말이냐!

도대체
자식이 무엇이기에
한 잔의 포도주에도
진한 인생을
느끼게 하느냐!

변하지 않으마

사랑을 무던히 독차지하던 네가
사랑의 일부를 동생한테 넘겨주기가
그리도 서운하단 말이냐.

늘 까르르 웃어대던 네가
말과 웃음이 줄어든 너는
처음 당해 본 심정이 그리도 크단 말이냐.

어려운 언어도 능히 구사할 수 있음에도
묻는 말에 대답을 하지 않고
공연히 심술을 부려 보는 너는
그토록 말 못할 만큼 속상하단 말이냐.

나는 절대로
나누어진 사랑 때문에 고개를 떨구고 있는 네가
때로는 관심을 끌려고 울며 깽판을 친다 하더라도
네 살배기 너를 소견머리 좁다고 하지 않으마.

초췌해져 가는 너의 모습이 싫어
결코,

너에 대한 관심이 변하지 않으마.
너에 대한 마음이 변하지 않으마.
너에 대한 사랑이 변하지 않으마.

차라리

인형을 사 주면서 물어도
한결같이
아홉 번째로 사랑한다던 네가

언제부터인가 갑자기
날 두 번째로 사랑한다는 이유가 뭣인고

열 번을 물어도 헷갈림 없이
여전히 같은 대답을 하더니

어찌하여 심중心中에 없었던
그런 대답을 할 수 있었단 말이냐!

마지못해서 마지못하여 그러니보다는
진솔眞率하였던 네 속마음을 말해 주렴

차라리 네가
평소에 간능幹能거릴 줄도 알았더라면
차라리 그랬더라면 모르건만……

아직 모르리

처음 소식 듣던 날부터
마음을 무척이나 설레게 하더니

마침내 크게 소리 외치며 한국에 처음 나타나
긴장 속 다섯 시간 뒤 나와의 첫 만남은

고작 왼쪽 보조개로 환하게 웃음 보이고
서로가 눈으로만 확인하였을 뿐
한 마디 목소리도 들려주지 못했던 때를
넌 그걸 모르지?

사람들은 잠투정을 많이 하는 아이는
머리가 좋다고들 말하지만
여린 몸으로 무던히도 성가시게 한 것을
넌 지금은 모르리.

생떼를 써 보기도 하고
화사한 웃음으로 애써 달음질하듯 기어와
말썽을 부린 가지가지 일들을
넌 모르리 모를 거야

지금 네게 큰소리로 야단을 쳐도
내가 무얼 말하는지 넌 아직 모르리
삼성동에 然優야! 그냥 크게 한번 웃자!

두 번째 하는 편지

간밤에는 천둥소리에도 잠에서 깨어나
온밤을 설치게 하더니
지금은 불러도 불러 봐도 듣지 못하는 너는
현재 저지르는 그 일이 그리도 중요하단 말이냐?

네겐 모든 사물들이 그토록 새롭기만 하고
호기심으로 가득하단 말이냐?
그리고
두 발을 사용해 자유의지로 움직일 수 있는
그 만족감이 그리도 크단 말이냐?

한 곳에 몰두하면 아무리 소리쳐 불러도
아무 소용이 없는 십삼 개월 네겐
이 세상 모두가 그리도 신기하단 말이냐?

아이야!
어서 어서 자라서
구부러진 세대 가운데 휩쓸리지 말고
큰 자가 되어 주렴.

외유外遊

집 떠난 지 스무 날!
잠잘 때 이불 걷어차고
이리저리 뒹굴어
모퉁이에 처박히는

시장기 들 때
우유 한 통 손에 쥐면
누울 자리 가리지 않고
벌렁 누워 단번에 먹어 치우는
너는 지금쯤 어디에 있느냐?

어쩌다 전화기 손에 쥐면
수화기 귀에 대고
아무도 알아들을 수도 없는
언어를 사용해 지껄이는

자동차만 타면
누구를 닮아
멀리 가지도 못하고
힘없이 졸던 세 살배기 너는
지금쯤 외국 생활이 익숙해졌느냐?

제5부

잠언

잠언 · 1

사랑이 결핍되면
증오憎惡가 생기고

관대寬待함이 결핍되면
인색吝嗇함이 생기고

정직이 결핍되면
속임수가 생기고

참을 모르면
거짓이 생기고

겸허謙虛를 모르면
주제 넘는 행동을 한다.

잠언 · 2

이별은
인연을 중요시 여기지 못하는 데에서 생기고

다툼은
마음을 다스리지 못하는 데에서 생기고

죄는
참지 못하는 데에서 생긴다.

잠언 · 3

나태한 손으로 일하는 사람은 재산이 없어도
부지런한 사람의 손은 그를 부유하게 해 준다.

환락을 좋아하는 자는 궁핍한 사람이 되고'
술을 좋아하는 사람은 부를 얻지 못한다.

말이 많으면 범과犯過과 없지 않지만
입술을 억제하는 자는 슬기롭게 행동한다.

악한 자에게는 무서운 일이 닥치지만
의로운 자들은 소원이 이루어진다.

잠언 · 4

징계懲戒를 사랑하는 자는
지식知識을 사랑하는 자이지만
책망責望을 싫어하는 자는 이성이 없다.

자기의 부富를 신뢰하는 자는 쓰러지지만
의로운 자들은 나뭇잎처럼 번성한다.

낯선 사람을 위하여
보증保證을 섰다가는 정녕 해를 입지만
악수하기를 싫어하는 자는 늘 근심이 없다.

어리석은 사람은 자기의 노여움을
바로 그날 드러내지만
슬기로운 사람은 불명예를 덮어둔다.

칼로 찌르듯 생각 없이 말하는 자도 있지만
지혜로운 자들의 혀는 치료를 해 준다.

잠언 · 5

부자인 체 하지만 가진 것이 전혀 없는 자가 있고
재산이 없는 체 하지만 재물이 많은 자가 있다.

헛된 것에서 생긴 재물은 줄어들지만
손으로 모으는 자는 증가시키는 자이다.

부자는 재산이 없는 자들을 다스리지만
빌리는 사람은 빌려주는 사람에게 종이 된다.

재산이 없는 자는
자기 이웃에게도 미움의 대상이지만
부자는 친구가 많다.

잠언 · 6

지혜로운 사람들과 함께 걷는 자는 지혜롭게 되지만
미련한 자들과 관계하는 자는 해를 입는다.

어린아이의 마음에는 어리석음이 얽혀 있지만
징계의 매가 그것을 멀리 쫓아낸다.

매를 주저하는 자는 자식을 미워하는 것이지만
자식을 사랑하는 자는 자기 자신을 살펴 징계한다.

지혜로운 자식은 아버지를 기쁘게 하고
미련한 자식은 그 어머니를 비탄 거리로 만든다.

매와 책망은 지혜를 주지만
제멋대로 하게 내버려 둔 아이는
자기 어머니를 수치스럽게 한다.

은보다 이해력을 얻는 것이 좋고
금보다 지혜를 얻는 것이 훨씬 더 낫다.

잠언 · 7

믿음이 없는 자는 자신의 결과로 만족하고
선한 사람은 자기 행위의 결과로 만족한다.

경험이 없는 자는 온갖 말을 믿어도
슬기로운 자는 자기 발걸음을 살핀다.

경험이 없는 자들은 필시 어리석음을 소유하게 되지만
슬기로운 자들은 지식을 머리쓰개로 삼는다.

자기 이웃을 업신여기는 자는 죄를 짓는 것이지만
괴로움을 당하는 자들에게 은혜를 베푸는 사람은 행복하다.

화내기를 더디 하는 자는 분별력이 풍부하지만
조급한 자는 어리석음을 높이는 것이다.

온화한 대답은 격노激怒를 돌이켜 놓지만
고통을 주는 말은 분노忿怒가 치밀게 한다.

잠언 · 8

백성이 많으면 왕에게 단장團長이 되지만
주민住民이 부족하면 고위 관리가 파멸한다.

의는 나라를 높이지만
죄는 민족들에게 치욕스러운 것이 되게 한다.

통찰력을 가지고 행동하는 종에게는
왕의 기쁨이 있지만
수치스럽게 행동하는 자에게는
그의 진노震怒가 향한다.

잠언 · 9

마음이 교만함은 파멸의 앞잡이이고
겸손은 영광의 앞잡이이다.

술책術策을 꾸미는 사람은 늘 다툼을 자아내고
중상자重傷者는 서로 친한 자들을 떼어놓는다.

나무가 없으면 불이 꺼지고
중상자가 없으면 다툼이 가라앉는다.

행악 자는 유해한 입술에 주의를 기울이고
속이는 자는 역경을 초래하는 혀에 귀를 기울인다.

선을 악으로 갚는 자는
그의 집에서 악이 떠나지 않는다.

잠언 · 10

근심은 애욕愛慾에서 생기고
재물은 검소儉素함에서 생긴다.

재앙은 물욕物慾에서 생기고
덕은 겸양謙讓에서 생긴다.

허물은 방정맞은 데에서 생기고
복은 겸손함에서 생긴다.

■해설

가족에 대한 사랑과 신에 대한 믿음으로

이 승 하
(시인 · 중앙대 교수)

이 시집을 읽고 계신 미지의 독자에게

안녕하십니까? 저는 시인 이승하입니다. 그저께 문인들 모임에 초대되어 갔는데, 등단한 지 얼마 안 되는 신인들이 많이 나온 자리였습니다. 제게 인사말을 시키기에 이런 말을 했습니다.

이 자리에 와보니 최근에 신춘문예와 문예지 신인상으로 등단한 분들이 많이 보이는군요. 새삼 축하를 드립니다. 여러분은 어려운 관문을 통과하여 시인으로서 이 자리에 나와 계시는데, 우리나라에서 해마다 몇 명의 시인이 배출되고 있는지 아십니까? 중앙지, 지방지 신춘문예 당선자의 수가 해마다 20명, 중요 문예지가 50종쯤 되니까 문예지로 등단하는 사람의 수가 연간 100명은 될 겁니다. 즉, 해마다 최소한 120명의 시인이 탄생하고 있습니다, 그런데 왜 시의 위기론이 계속 나오고 있습니까? 우리 시인이 책임질 일이 아닐까요? 모두 어렵게 관문을 통과하신 분들이지만 늘 새로운 각오로 자신을 갈고닦지 않으면 금방 잊혀진 존재가 될 것입니다.

이번에 모아드림을 통해 첫 시집을 출산하는 산고를 겪고 계신 김문구 씨는 이렇게 쉬운 신인 등용의 관문을 통과하지 못한 아마추어 시인입니다. 본인이 말하기를, 등단을 염두에 두고 시 쓰기 공부를 해본 적이 없다고 합니다. 친구가 '언젠가는 몽땅 없어져 버릴 수도 있으니 책으로 묶어 두라.' 고 권하여 책으로 묶을 생각을 해보게 되었지만 이것들이 시인지 뭔지 자기도 모르겠다고 합니다.

시집 원고를 읽어나가는 동안 저는 수시로 미소를 지었습니다. 시 창작 실기 지도를 받아본 적이 전혀 없는, 그야말로 '완벽한 아마추어' 의 작품이었기 때문입니다. 시집 권말에 의례적으로 붙는 해설의 글이 필요 없을 정도로 쉬운 시 일색이었습니다. 물론 종교적 심상과 철학적 명상의 시편도 적지 않았지만 삼척동자도 읽고 이해할 수 있는 쉬운 시가 대종을 이루고 있었습니다. 선배 교수의 부탁으로 해설을 써 드리기로 했지만 시집 독자에게 해설삼아 해줄 말이 없다는 것이 저의 솔직한 심정입니다. 그럼에도 불구하고 글을 쓰게 된 이유는 아마추어리즘 때문입니다. 등단을 의식하지 않고 오로지 시가 좋아서 썼다는 말을 저는 믿습니다. 공무원으로, 건설회사 대표로 남부럽지 않게 살아가면서도 시를 쓰고 싶다는(이는 정식 등단 절차를 거쳐 시인이 되는 것과는 다른 차원입니다) 사무친 갈증이 있었기에 수시로 밤잠을 설쳤다는 김문구 씨의 순수한 열정을 높이 사 췌언이 될 몇 마디의 말을 시집 권말에 붙이기로 했습니다. 우선 김문구 씨의 시인관詩人觀을 살펴보도록 하겠습니다.

그대는
무얼 위해 불면증을 극복해 가며
온밤을 뜬눈으로 지새우는가!
위대한 시인들도
겨우 한 편의 명시만을 남겼을 뿐
평범한 환경에서는
주옥같은 시가 나올 수 없고
보통 사람에게는 위대한 시가
나올 수 없지 않는가!

—「시인이여 · 1」 후반부

위대한 시인들도 겨우 한 편의 명시를 남겼을 뿐인데 평범한 환경에서 사는 '그대' 한테서는 주옥같은 시가 나올 수 없음을 김문구 씨는 잘 알고 있습니다. '그대' 는 사실 김문구 씨이니 자문자답을 하는 것입니다. "지금/ 지구 곳곳에서/ 수없이 많은 시인들이/ 문학의 꽃을 남기려고/ 욕심 부리며 애태우는데" 자기처럼 보통 사람에게서는 위대한 시가 나올 수 없을 거라고 깊이 탄식하고 있습니다. 하지만 김문구 씨가 등단 절차를 거친 후에 활동을 개시한 그 어느 시인보다 열정을 갖고서 시를 써온 분임을 알게 하는 시가 있습니다.

> 죽고 싶거든 시를 쓰시오
> 배신을 당하였거든 시를 쓰시오
> 죽을 날이 다가오거든 시를 쓰시오
> 외롭고 괴롭거든 시를 쓰시오
> 사랑한 사람이 사망했거든 시를 쓰시오
> 사업에 실패했거든 시를 쓰시오
> 먹지 못해서 배고플 땐 시를 쓰시오
> 내가 보잘것없는 사람으로 느꼈을 땐 시를 쓰시오
> 생활비가 떨어져 고통스러울 땐 시를 쓰시오
> 공연히 울고 싶을 땐 시를 쓰시오
>
> —「시인이여 · 2」 후반부

이 시 역시 세상의 뭇 시인들에게 하는 말이 아니라 혼잣말이거나 독백이라는 생각이 듭니다. 죽고 싶다는 생각이 들었을 때, 배신을 당했을 때, 죽을 날이 다가오고 있음을 깨달았을 때, 외롭고 괴로웠을 때 썼던 것이 시가 아니었을까요. 시를 쓰면서 영혼의 상처를 치료받았고, 남이 쓴 시를 읽으면서 위로를 받았던 사람이 바로 김문구 씨 아닙니까. 김문구 씨는 사랑한 사람이 사망했을 때, 사업에 실패했을 때, 배고팠을 때, 자신이 보잘것없는 사람으로 느껴졌을 때, 생활비가 떨어져 고통스러웠을 때, 공연히 울고 싶을 때 시를 쓰면서 힘을 얻었고, 시를 읽으면서 이 모든 고통으로부터 벗어났던 것이겠지요. 기도가 그러하듯이 시의 치료 기능과 위안의 기능을 예전부터 알고 있었기에 김문구 씨는 발표 한 편 하지 않으면서 지금까지 이 많은 시들을 써왔던 것이 아니겠습니까. 두 편의 시를 읽고 보니 창작 기법이나 기교의 문제를 갖고 김문구 씨의 시를 재단할 수 없다는 생각이 듭니다. 시를 창작하는 데 필요한 갖가지 기술을 익히기 전의 상태에 있는 김문구 씨의 시는 시정신의 측면에서 논해야 할 것입니다.

저는 아직 김문구 씨와 허심탄회하게 이야기를 나눠본 적이 없습니다만 살아온 과정이 표출되어 있는 시가 몇 편 되기 때문에 생의 이력을 조금은 알 것 같습니다. 제2부의 제목은 '자연과 추억'이고, 제4부의 제목이 '사랑을 전합니다'인데 바로 이 두 부에 시인의 유년기와 성장기의 이야기들이 펼쳐져 있습니다.

어머니께서는

어느 날
제가 초등학교에도 들어가기 전
넷째 아들인 어린 저를
한마을에 사시는 딸 아들 못 낳으신
작은집으로 양자로 보내신 후

어머님께서는
갑자기 저에게 일부러 냉랭하게 대하셨고
겉으론 저와 상관없는 것처럼 하시는 것을
저는 역력히 느낄 수 있었습니다.

—「어머니 · 1」 전반부

초등학교도 들어가기 전인 어린 소년에게 있어 어머니는 세상의 전부, 즉 우주입니다. 아들은 한마을에 사는 작은집에 양자로 보내졌고 어머니는 정을 떼려고 갑자기 아들을 냉랭하게 대합니다. 아들은 등을 돌린 우주 앞에서 얼마나 절망스러웠을까요. 하지만 어머니의 정 떼기 작전은 실패로 끝납니다. 천륜을 어떻게 저버린단 말입니까. 그 후 오랜 세월이 지나 어머니와의 또 다른 이별을 회상하는 날이 옵니다.

어머님!
오늘은 왠지 무척이나 그립습니다.
오늘이 십삼 년 전 오늘 어머니께서

제게 눈물을 주시고 횡성으로 가신 날입니다.

전 어머니께서 서울을 떠나시기 전에
광주廣州로 가고 싶다고 하신
그 말씀을 듣고도
전 어머니가 다른 곳으로 가시는 그 길을
막지 못하는 허수아비였습니다.
그것은 바로 제가 힘이 모자란 탓이었지요.

—「어머니 · 4」 전반부

무슨 사정이 있었는지 시 속에 자세히 얘기되고 있지는 않지만 김문구 씨가 성인이 다 된 어느 해에 또 한 번의 가슴 아픈 이별의 날을 맞이하게 되었나 봅니다. 김문구 씨는 "전 아직도/ 어머니께서 제 가슴속에 늘 자리하고 계시므로/ 멀리 떠나보내지 못하고 있습니다."라고 말씀하시는군요. 어머니는 모성적 부드러움으로 한량없이 사랑을 베풀었기에 그리움의 대상으로 가슴속에 자리하고 있는데 그와 반대로 아버지는 지나치게 고지식한 옛날 분이었나 봅니다. 이런 시를 보니 원망의 앙금이 아직도 가슴에 남아 있음을 알 수 있습니다.

또한 아버지께서는 몇 명의 머슴을 두시고
젊은 연세에도 남들처럼 일을 하지도 않으셨습니다.
그리고

너무 일찍이 장남에게만 큰 권한을 주시고
장남을 앞세워 모든 업무를 시행해 나가셨습니다.
그래서
아버지께서는 고향에서 왕따가 되셨습니다.

—「아버지 · 2」 후반부

하지만 이런 아버지를 이해하고 용서하기 위해 얼마나 고통스런 시간을 보냈는지 알게끔 하는 시가 있습니다.

아버지께서는
제가 힘들어 할 때
모르는 척하셨습니다.
그것은 사랑이 없어서가 아니라
제 능력을 아셨기 때문에 그러신 걸
저는 미처 몰랐습니다.

—「아버지 · 1」 제1연

오랜 세월 마음에 그림자를 드리우고 있던 아버지란 존재를 밝은 곳으로 모시고 가는 일이 얼마나 어려웠을까, 생각해봅니다. 김문구 씨의 가족 사랑은 「딸에게」 외에도 「당신에게 · 1」 「당신에게 · 2」 「쌍둥아」 「변하지 않으마」 「아직 모르지」 「두 번째 하는 편지」 「외유外遊」 등의 시에 잘 나타나 있습니다. 이 시편 가운데 아내한테 미안한 감정을 고백하는 「당신에게 · 1」과 어려웠던 시절에도 곁에서 함께 해주었던 아내한테 고마움을 표하는 「당신에게 · 2」는 충분히 감동적입니다. 시를 통해 가족 한 사람에게 한 사람에게 사랑을 전하는 그 마음에 경의를 표하는 바입니다.

김문구 씨의 유년기 회상은 백석 시인과 흡사한 바가 있습니다. 봄노래를 제외하고는 어쩜 하나같이 먹는 것과 연관되어 있는지, 신기한 일입니다. 먹을 것이 지금처럼 많지 않던 시절이어서 오히려 각종 먹거리에 대한 추억이 뇌리에 강하게 남아 있나 봅니다.

초저녁 마당에 멍석 깔고
우선 쑥대 베어 모깃불을 지펴 놓고
두레상에 여러 식구 둘러앉아
애호박 양념간장에
한 사발 칼국수를 먹으려면
쑥 냄새 연기에 눈물깨나 흘렸지만
그 시절 그 추억이
또다시 내게 온다면
손수건이 눈물로 흠뻑 젖어도
조금도 싫어하지 않으리.

—「고향의 여름」 제1연

애호박 양념간장으로 간을 맞춘 칼국수를 못 잊어하는 것을 보니 김문구 씨는 영락없이 촌사람이군요. "그 시절 그 추억이/ 또다시 내게 온다면/ 손수건이 눈물로 흠뻑 젖어도/ 조금도 싫어하지 않으리."라고 말하고 있으니 김문구 씨의 마음의 본바탕이 얼마나 선량한지 알 수 있습니다.

남들은 싸리문이나 양철 대문에서 살았지만
나는 송판松板 대문과 기와집에서 살았고
쌀밥도 먹고 강낭콩과 감자 섞인 보리밥에
고추장 넣어 비벼서 실컷 먹을 수 있었고

아버지와 우마차 타고 들판에 나가면
천지에 먹을 것이 있었으니까!

—「고향의 가을」 끝 연

아궁이에서 타는 참나무는
숯불이 되어
인절미와 쑥떡과 가래떡을
구워 먹는
화롯불이 되었다.

—「고향의 겨울 · 1」 제3연

김문구 씨의 고향은 경기도 이천입니다. 농산물이 풍성한 곳이지요. 그래서인지 이런 먹거리로 기억되는 고향은 지금의 관점에서 보면 그리 잘사는 고장이 아닐지라도 김문구 씨는 모든 것이 풍족했던 그 시절의 고향을 지상의 낙원으로 기억하게 됩니다. 성장기에 그 나름대로 고충이 있었을 테지만 말입니다.

김문구 씨의 시집은 제5부가 잠언 모음집인데, 다른 부의 시편도 태반이 기도조입니다. 물어보지 않았지만 김문구 씨는 분명히 기독교인일 것입니다. 남들이 밤늦은 시각에 기도를 그리거나 새벽미사를 드릴 때 그는 틀림없이 시를 쓰고 있었을 것입니다. 기도하는 마음으로, 참회하는 마음으로 말입니다. 첫 시집의 제일 앞머리에 놓이는 시는 '서시' 의 의미를 지니고 있기에 대단히 중요합니다.

그토록 불러보는
당신의 이름

이젠 이 땅에 어둠이 오고
저 은하계銀河系에
뭇별들이 반짝이면
그것은 당신의 하루가 아닌가요?

검푸른 하늘
저 아름다운 태양 아래서
처절하리만큼 기다리던
당신의 말씀은
그냥
새로운 하루로 이어지고 말았습니다.

참을성이 부족하고
기력이 쇠하여 초조해져 가는
당신의 벗은
또다시
새로운 소망만을 키울 뿐입니다.

—「당신은 누구이기에」 전문

시집의 제목하고도 흡사한 시의 제목으로서, 뒤에 나올 모든 시의 의미를 함축하고 있다고 봄이 옳을 것입니다. 그토록 불러보는 당신의 이름은 '하나님' 입니다. 그런데 하나님은 어떤 분입니까? 아무리 믿고 기다려도 하나님은 말씀을 속 시원하게 해주지 않습니다. 화자는 "참을성이 부족하고/ 기력이 쇠하여 초조해져" 가는데, 또 하루가 저물고 한 달이 가고 한 해가 갑니다. 기도하면 무슨 응답이 있어야 할 텐데 당신은 누구이기에 나로 하여금 새로운 소망만을 키우게 하는가요, 라고 김문구 씨는 묻고 있습니다. 하나님이 인간이 묻는 말에 일일이 대답해 주는 카운슬러라면 지구는 대혼란이 야기될 것입니다. 누구의 말은 들어주고 누구의 말은 안 들어주고……. 답을 찾는 자는 궁극적으로 나 자신이어야 함을 김문구 씨는 잘 알고 있습니다.

기도조의 시가 호교론護教論이나 포교布教의 의미를 지니고 있다면 감동의 폭이 좁아질 터인데 김문구 씨의 시는 그렇지 않습니다. '전도' 라는 의도를 갖고 시를 쓴다면 그것은 목적의식을 내세운 이념시理念詩와 다를 바 없는 것이겠지요. 아무튼 이승에서의 삶이 마냥 복되다면 우리가 구태여 하나님에게 의지할 필요가 없을 것입니다. 김문구 씨가 보건대 세상은 타락해 있고 빈부의 격차는 끔찍하게 심합니다.

> 당신의 창조물에 지나지 않는
> 제가 보는 관점으로도
> 현 세상은 낡고 타락하였습니다.
>
> 주여!
> 이젠
> 당신의 해시계 위에
> 당신의 손을 얹으십시오.
>
> —「주여!」 후반부

> 주여!
> 배불리 먹겠지만
> 굶주릴 자 누구입니까?
>
> 충분히 마시겠지만
> 목말라할 자 누구입니까?
>
> —「이는 누구입니까?」 제1, 2연

시를 보니 김문구 씨가 가족의 건강과 사업의 번창을 위해 기도한 적은 없었습니다. 이 세상에 사랑과 평화의 기운이 가득하기를 바라면서 기도하고 있습니다. 심지어는 "설령/ 당신이 내게 편파적으로 행하셔도/ 나는 당신과 동행하기를 포기하지 않으리.// 당신이 낡고 타락한 현 세상을 계속 방치하더라도/ 나는 의심하지 않고 소망을 포기하지 않으리.// 나는 끝내/ 타협하지 않으리./ 굴하지 않으리./ 포기하지 않으리."(「굴하지 않으리」)라고 굳게 다짐하기도 합니다. 이 작품은 순교를 당하는 일이 있더라도 하나님에 대한 믿음을 포기하는 일은 없을 것이라는 신앙심이 잘 나타나 있는 시입니다. 김문구 씨의 확고한 신앙심을 알 수 있는 또 다른 시로는 「미처 몰랐습니다」 「왜 행복합니까?」 「무서운 시간」 「약속」 「만약」 「적은 무리」 「내가 택한 길」 「이집트Egypt야」 등이 있습니다. 이 가운데 울림이 특히 깊은 것은 「이집트Egypt야」일 것입니다.

나는 오늘 너의 참 모습 보려고 큰 기대 가슴에 안고
흙먼지를 헤치고 너의 나라 카이로에 왔는데
어찌하여 도시엔 무장 경찰들로 가득하고
거리엔 거지들이 가득하단 말이냐
이것이 너의 참모습이었더냐

(……)

이집트야

너의 잘못이 너무 많아 어찌 다 열거하겠느냐
너는 잘 들어라
너에 대한 조언은 이러하다
너는 너의 하느님을 두려워하고 그분의 계명을 꼭 지켜라
이것이 네가 해야 할 본연의 의무이다

—「이집트Egypt야」 부분

이집트 여행의 결과물인 듯한 이 시에서 김문구 씨는 이집트가 역사는 찬란한데 현재는 왜 이 모양인가를 추적해 보고는 인용 부분의 하단에 적은 결론을 도출해냅니다. 아주 오랫동안 하느님을 버렸기 때문에 유적과 유물만 갖고 있을 뿐 국민은 도탄에 빠져 있지 않느냐고 이집트인들에게 충고합니다. 중요한 것은 과거의 영광이 아니라 현재의 믿음이라고 힘주어 말하고 있습니다.

시의 제5부인 잠언 10편은 김문구 씨 나름대로 산전수전 다 겪고 난 후에 깨달은 것들을 쓴 것이 아닌가 합니다. 설사 이 10편의 시를 읽는 독자가 기독교인이 아니라고 하더라도 깊은 울림을 주는 시편을 읽고 느끼는 바가 있을 것입니다. 한마디 한마디가 다 인생철학이요, 삶의 지혜가 담긴 경구입니다. 우리 모두 머리맡에 두고 읽어야 할 잠언이 아닌지요. 저는 김문구 씨가 살아온 생의 이력이 탄탄대로였다면 잠언시 10편을 결코 쓸 수 없었으리라 생각합니다. 잠언시 10편만으로도 이 시집의 값어치는 충분하다고 저는 생각합니다.

이제 결론을 내릴 때가 온 듯합니다. 지금껏 저는 시집 원고를 건네받는 자리에서 딱 한 번 인사를 한 김문구 씨의 시집에 대해 몇 마디의 췌언을 했습니다. 저는 그야말로 주마간산 격으로 시를 읽었을 따름입니다. 기교의 측면에서는 큰 점수를 주기 어렵지만 주제의 무게가 만만치 않은 한 권의 책 『당신은 누구시길래』는 결국 가족에 대한 사랑과 하나님에 대한 믿음을 잘 승화시켜 쓴 시를 모은 시집입니다. 이 시집 발간을 계기로 앞으로는 형식미학도 조금씩 추구해 나가기를 빕니다. 이제 비로소 저는 김문구 씨를 '김문구 시인' 으로 부르기로 합니다.

당신은 누구시길래

글쓴이 / 김문구
펴낸이 / 孫貞順
펴낸곳 / 모아드림

1판 1쇄 / 2008년 4월 25일

서울 서대문구 북아현3동 1-1278
전화 / 365-8111~2
팩시밀리 / 365-8110
E-mail / morebook@morebook.co.kr
http://www.morebook.co.kr

등록번호 / 제2-2264호(1996.10.24)

ISBN 978-89-5664-117-1

값 8,000원